La grenouille à grande bouche

Une histoire contée par
Francine Vidal

Illustrée par
Élodie Nouhen

Didier *Jeunesse*

© Didier Jeunesse, 2009 pour la présente édition – © Didier, 2001 pour le texte et les illustrations
Achevé d'imprimer en France en août 2011 – ISBN : 978-2-278-06205-8 – Dépôt légal : 6205/05
Loi n° 49-956 du 16 juillet 1949 sur les publications destinées à la jeunesse
Ce livre a été imprimé chez Clerc, imprimeur certifié Imprim'Vert.

La grenouille à grande bouche
gobe des mouches avec sa grande bouche.

Elle vit dans une mare
sur un nénuphar
qui lui sert de plongeoir.

Mais voilà qu'un soir, elle en a marre.

Des mouches au petit déjeuner,
des mouches au dîner,
des mouches toute la journée,

elle en a assez !

« Qu'est-ce que je pourrais bien goûter ?
Qu'est-ce que je pourrais bien manger ? »

Elle n'en a pas la moindre idée.

Alors...

la voilà qui s'en va.

Au premier tournant,
elle rencontre un ruban.

– T'es collant *toi* ! T'es qui *toi* ?
– Je suis le tamanoir.

– Et tu manges quoi *toi* ?
– Des fourmis.

– Pouah !

Hop,

Hopa,

la voilà

qui s'en va.

D'un bond guilleret, elle traverse une forêt.

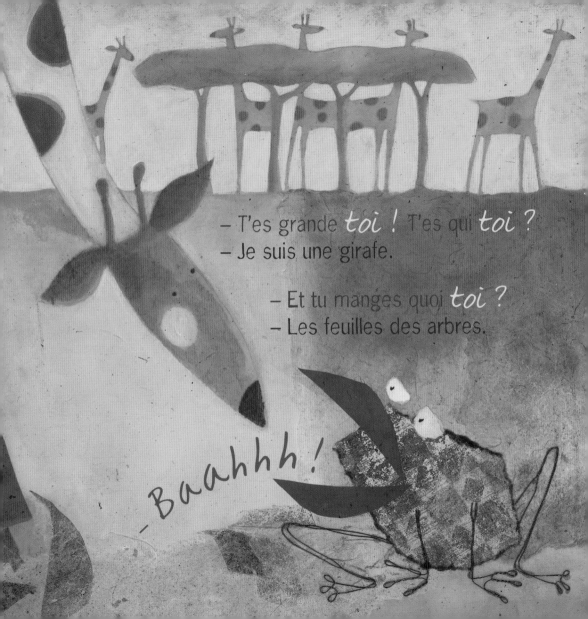

– T'es grande *toi* ! T'es qui *toi* ?
– Je suis une girafe.

– Et tu manges quoi *toi* ?
– Les feuilles des arbres.

– Baahhh !

la voilà qui s'en va.

À l'aide d'une canne, elle escalade
une montagne de mille kilogrammes.

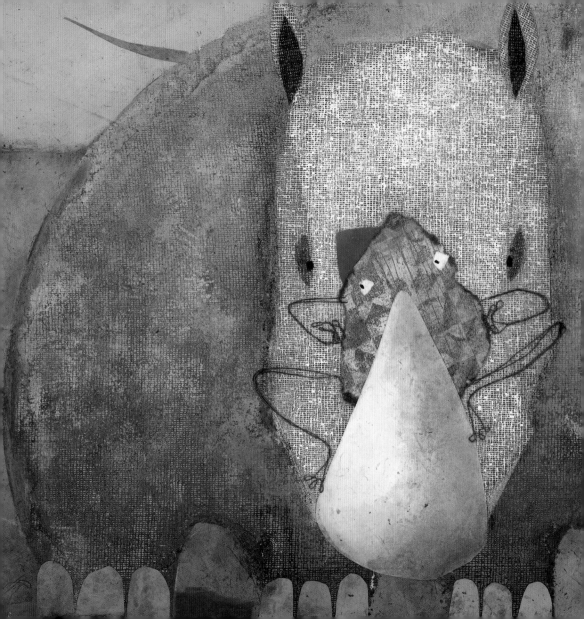

– T'es gros *toi* ! T'es qui *toi* ?
– Je suis le rhinocéros.

– Et tu manges quoi *toi* ?
– Moi ? De l'herbe.

– Ohlala !

Hopi, Hopa, la voilà qui s'en va

Un peu plus tard,
il se met à pleuvoir.

– Désolé, crie l'oiseau
qui s'est laissé aller.

   – T'es qui *toi* ?
   – Je suis le toucan.

– Et tu manges quoi *toi* ?
– Des asticots.

ouah!

la voilà qui s'en va.

À force de sauter
elle est fatiguée.

Alors elle s'assied.

– **Bah**
si c'est comme ça,
je m'en vais rentrer gober des mouches,
se dit la grenouille à grande bouche.

Mais de retour
sur son nénuphar,
elle voit

deux
yeux

dans la mare.

– T'es bizarre *toi* ! T'es qui *toi* ?
– Je suis le crocodile.

  – Et tu manges quoi *toi* ?

– Des grenouilles à grande bouche.

– Et t'en as vu beaucoup par ici ?

Hopi, Hopa, le conte finit là.

Pour Loulou et ses p'tits loups,
cette rainette est toute à vous.
E.N.